L'aventure de l'équipe COUSTEAU en bandes dessinées

Textes et dessins
Dominique SERAFINI

La forêt blessée

Mise en couleurs : Jean-Jacques CHAGNAUD

Lettrage : Dominique AMAT

Conseiller scientifique : Jacques CONSTANS

ROBERT LAFFONT

© Editions Robert Laffont, S.A. Paris, 1990
6, place Saint-Sulpice, 75006 Paris — ISSN : 0297-6846 — ISBN : 2-221-06732-0
Droits de reproduction réservés pour tous pays, y compris l'URSS

Photogravure : AZER — Imprimé par MAURY-IMPRIMEUR S.A.
et relié par BRUN à Malesherbes
Nº d'éditeur : 32930 — Nº d'imprimeur : 190/32070 B
Dépôt légal : Novembre 1990

CALYPSO

La seconde partie de la mission "Cousteau Amazonie" débute à la fin de la saison des pluies...
La Calypso remonte une seconde fois le cours de l'Amazone et entame un nouveau voyage de plus de 4000 km.

Après avoir exploré ce fleuve, le plus long de la planète, depuis sa source dans les Andes péruviennes jusqu'au plus profond de la forêt engloutie, le royaume du légendaire dauphin rose, le commandant Cousteau envoie de nouveau ses hommes sur de nouvelles pistes vers les zones les plus reculées de la jungle...

...Où s'affrontent Indiens et colons avides d'arracher à la forêt amazonienne ses trésors... quitte à la brûler... la raser... pour une poignée d'or...

Les hommes de la Calypso gagnent les territoires indiens menacés par cette nouvelle "ruée vers l'or".

Ils fraternisent avec les Indiens, plongent avec les prospecteurs dans la boue des fleuves... Malgré la fatigue, les obstacles naturels, ils poursuivent leur enquête.

... empruntant parfois les pistes défoncées de la Transamazonienne...

Dans les marecages du Pantanal...

Ils filment l'activité frénétique d'une fourmilière humaine. Dans une immense mine à ciel ouvert, la "Serra Pelada".

Découvert par hasard, ce gisement légendaire attire des centaines de pauvres garimpeiros, et chaque misérable mineur rêve de faire fortune à son tour comme ceux qui ont trouvé des blocs d'or pur de plusieurs dizaines de kilos ...

Un rêve qui tourne au cauchemar lorsque la poussière rouge, étouffante, s'élève d'un cratère creusé par 4500 forçats condamnés par eux-mêmes aux travaux forcés.

Pendant que des équipes volantes sillonnent la forêt, la Calypso poursuit la remontée de l'Amazone et mouille devant le monstrueux complexe industriel installé sur le rio Jari.

Trois maillons... Ancre crochée !

Dans l'hélico, JYC s'apprête à filmer un nouveau témoignage de la folie humaine...

Bob... Vous voyez cette pluie de copeaux... Voilà comment finit la jungle...

Centrales thermiques, chaînes de transformation du bois en papier ont remplacé les arbres de la forêt millénaire, là où vivaient autrefois les Indiens de la tribu Apalaï, chassés de leur territoire pour permettre la réalisation du projet fou d'un industriel américain, Daniel Ludwig.

Impressionnant, Bob !

C'était l'un des hommes les plus riches du monde... Il voulait devenir l'empereur vert !

Je vois... Encore un philanthrope !

Après avoir bâti son immense fortune sur les mers en armant des flottes de pétroliers géants, Daniel Ludwig voulut prendre le contrôle de la production mondiale de pâte à papier en implantant une gigantesque usine au cœur de la forêt amazonienne.

Celle-ci fut construite au Japon, remorquée jusqu'au Brésil, à Jari, et installée sur un domaine de quatre millions d'hectares offert par les colonels brésiliens alors au pouvoir.

7

Profitant d'une courte éclair-
cie, Bob monte à l'altitude
maximum pour permettre
au commandant Cousteau
de filmer l'immensité du
domaine qui s'étire sur
des dizaines de kilomètres.

Ah ! Voilà les
plantations de
"gmelina", l'arbre
miracle qui devait
fournir le monde
en cellulose !

Regardez,
Bob, pour nourrir
la population de Jari,
on a transformé les
rives marécageuses
de l'Amazone en
rizières et pâ-
turages.

Avec ces
moissonneuses-
batteuses, on a du
mal à se croire au-
dessus d'une des
plus grandes
forêts du
monde !

Mais les plants de gmelina n'ont pas poussé
aussi vite qu'on l'espérait et le débroussaillage
mécanique s'est révélé inefficace. Il a fallu
varier les essences de bois et faire appel à
une main-d'œuvre importante. Les coûts
de revient ont largement dépassé les
prévisions.

Bob... Regardez cette fumée, là-bas... Allons-y !

...De l'essence, des allumettes et voilà un défrichage rapide !

Essayez de descendre plus bas, Bob ! Je voudrais faire des gros plans ! Là... ça va !

Arbres centenaires, fleurs, insectes, oiseaux, singes... C'est tout un monde d'une extraordinaire diversité qui disparaît dans le brasier pour faire place à la monoculture.

Quel gâchis... Assister, impuissant, à la création volontaire du désert !

My God ! Comment les humains peuvent-ils être si stupides !

Sa caméra chargée d'images dantesques, JYC donne le signal de retour à Bob.

En plus, ce type d'exploitation n'est même pas rentable à long terme...

Après trois années de récolte, le sol est épuisé... Il faut utiliser des engrais... Les nouveaux colons doivent abandonner la partie et rendre ces zones au bord de la désertification à la nature !

Il faudrait que vous réussissiez à convaincre le gouvernement à changer de système.

La richesse du sol de la forêt tropicale n'est qu'une illusion... En abattant les grands arbres, les colons brésiliens commettent une erreur irréparable. Privée de la protection du couvert végétal, la faible couche d'humus fertile est lessivée par les pluies, ou durcie par le soleil...

Il a fallu des centaines de milliers d'années pour que se développe l'extraordinaire écosystème qui permet à la forêt tropicale de vivre sur un sol pratiquement stérile. Ne pouvant enfoncer leurs racines dans la terre, les grands arbres les ont étendues à l'horizontale. C'est sur cet inextricable réseau végétal que la forêt vit en circuit fermé, avec le concours de tous les êtres vivants, reptiles, oiseaux, insectes et mammifères.

Vivant en harmonie avec la forêt, les Indiens ont appris à tirer parti de ses richesses sans la détruire. Près de leurs villages, ils cultivent fruits et légumes dans des "chacras" sommairement défrichés. Mais sans cesse repoussés par les incendies et les bulldozers, ils voient leurs terrains de chasse et de culture réduits et détruits.

À la place des Indiens, s'installent de pauvres colons venus des villes, sans aucune expérience de la vie et de la culture en forêt tropicale.

Après avoir défriché par le feu leurs parcelles de terre et obtenu une maigre récolte, vaincus par la misère, ils abandonnent le terrain épuisé.

À l'approche de la région du grand lac Careiro, près de Manaus, une équipe de plongeurs de la Calypso se prépare...

Alors... Qui est partant pour une petite plongée dans les eaux limpides de l'Amazone ?...

Humm... Elle a l'air plus claire qu'hier... On doit au moins y voir à 20 cm !

Laissez passer les rois de l'éclairage !

Afin de mesurer les conséquences écologiques du développement industriel de Manaus, Falco organise une série de plongées et de mesures scientifiques.

Attention à la bouteille de prélèvement !

Rapportez-moi surtout des échantillons d'eau pris devant la centrale...

... et aussi des prélèvements de boue sur le fond... N'oubliez pas de mesurer aussi la température de l'eau...

D'accord, d'accord, professeur. On a tout noté ! Soyez tranquille !

Alors... Quelle destination, Bébert ?

On m'a indiqué une sorte de lac près de la rive, j'aimerais aller y jeter un coup d'œil.

Après une lente navigation parmi les herbes aquatiques, l'équipe arrive dans un bras d'eau dégagé.

Vérifie l'éclairage, Bertrand ! On va en avoir besoin !

À peine sous la surface, les deux plongeurs disparaissent dans l'eau sombre.

Ah ! Ça semble un peu plus clair vers le fond !

Tiens... On va enfin pouvoir tourner un plan !

Alors qu'ils atteignent le fond vaseux, une silhouette fantomatique apparait près d'une souche...

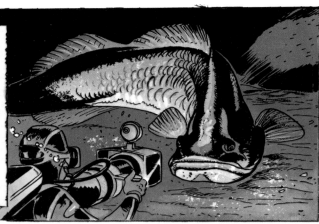

Par un coup de chance inespéré, les plongeurs peuvent observer un "pirarucu", le géant de l'Amazonie, énorme poisson préhistorique, presque disparu, victime de la pêche intensive

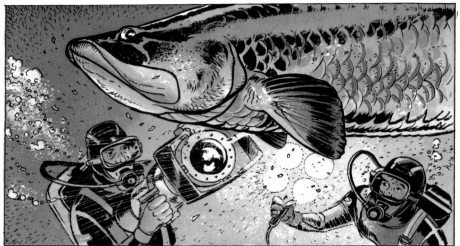

Il a peur... On va le perdre... Non ! Il remonte !

A' leur grande surprise, le "pirarucu" gagne la surface pour respirer avant de repiquer vers le fond...

Puis il disparaît dans le brouillard liquide, tel un fantôme du passé...

Dommage... J'espère que j'ai quand même quelques images !

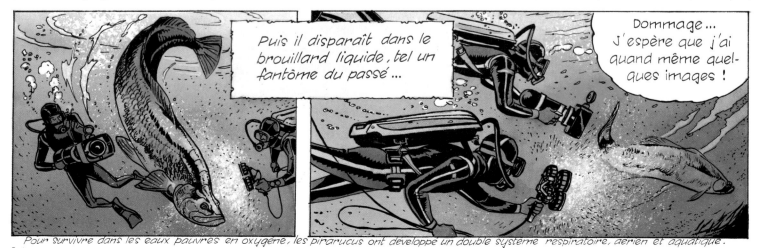

Pour survivre dans les eaux pauvres en oxygène, les pirarucus ont développé un double système respiratoire, aérien et aquatique.

En dépit de leurs recherches, les plongeurs ne parviennent pas à retrouver le pirarucu et reprennent le cours de leur mission.

Oh là !!! Déjà 35 minutes à 20 mètres ! Il est temps de s'occuper des prélèvements !

Quelque chose d'intéressant dans la boîte à images ?

Tu parles ! On est tombé sur un vrai monstre ! Une bête de plus de deux mètres !

On a réussi un scoop d'enfer ! Le pacha va être surpris !

Surtout s'il n'y a rien sur la pellicule... comme la dernière fois !

C'est vrai ! L'eau était loin d'être claire... Quant à l'éclairage... enfin, on verra !

Alors que le zodiac rejoint la Calypso, le vrombissement de l'hélicoptère Félix signale le retour du pacha.

15

Attention, Raymondo ! Le portrait du géant du fleuve est entre tes mains !

Ça va... Je ne sais pas si je vais oser ouvrir la caméra !

Hé, les grenouilles ! Ralentissez ! On fait de la science, nous !

Place... Place... Nous sommes porteurs de documents exceptionnels !

C'est ce qu'on appelle "vendre l'image avant de l'avoir développée !"

Voilà trois ans que je plonge sur la Calypso, et je ne suis jamais sur les films ! C'est dur, non ?

Tu es un héros sous-marin méconnu !

Ok... Encore un peu de patience... Une quinzaine d'années et tu seras parfait !

Ah, Bertrand ! J'ai justement besoin d'un plongeur chic pour une séquence choc !

Volontiers... Je suis votre homme, commandant. De quoi s'agit-il ?

Plonger au milieu des piranhas et les nourrir à la main...

!!!

Hé... Le pacha plaisante...? C'est une blague, hein ?

JYC plaisanter... Jamais...

Et voilà ! Une étoile est née... Tu nous offres le champagne ?

La Calypso est maintenant ancrée sur rio Negro, à quelques jours de navigation de Manaus, au confluent du rio Branco et du rio Jufari. Une équipe embarque à bord de l'hélicoptère Félix et de l'avion amphibie Papagallo pour se rendre au coeur d'une zone préservée des atteintes du progrès. Le rio Padauari déroule ses méandres sinueux et la vie s'écoule comme à l'aube des temps.

Sur une plage, deux capibaras, les plus gros rongeurs du monde, sortent prudemment de la forêt pour venir boire.

Plus loin, à l'ombre des feuillages, une loutre d'Amazonie semble admirer son reflet dans l'eau... sous le regard fixe d'un caïman.

Insouciant, un poisson trouble la surface du miroir ... La loutre bondit ...

Une folle poursuite s'engage à travers les racines entre la proie et son prédateur ...

D'un coup de patte précis et fatal, la loutre met fin à la fuite du poisson.

Soudain, un cri de terreur retentit dans la jungle, interrompant le festin.

En grognant de joie, elle se prépare à croquer son repas encore tout frémissant.

Sur l'autre rive, un autre drame se joue... Un jaguar à l'affût se jette sur un capibara, lui brisant les reins...

Affolée, la femelle se précipite à l'eau et cherche refuge dans le fleuve.

Mais un témoin silencieux a suivi la scène. Sans bruit, il disparaît sous la surface...

Un cri, un remous, l'étau des mâchoires du caïman se referme sur le capibara... qui est entraîné vers le fond au milieu d'une nuée de piranhas frénétiques...

À peine quelques rides à la surface, tout est fini...
Jaguar, capibara, caïman, loutre, poisson, chaque acteur
a joué son rôle dans l'opéra sauvage de la jungle...

Effrayée, la famille de loutres disparaît avant
que l'écho du coup de feu n'ait fini de ré-
sonner sous la voûte des arbres...

Puis... Plus un bruit... La forêt semble soudain s'être vidée... Mais deux silhouettes
noires et luisantes émergent...

Tu as entendu..
C'était un
coup de feu,
non ?

Tu parles... Juste au
moment où j'avais
un plan magnifique
de la loutre avec
ses petits ...

PANK PANK

Encore ! Mais ce n'est...

Oh... C'est le Far-West, ici...

Je le crains... Allez, fini pour le cinéma ce matin, retournons au zodiac !

...Et voilà l'explication ! Le roi de la gâchette a encore frappé !

Ma parole... Ce n'est pas possible, il le fait exprès !

Dia ! Amigos !...Pour ce soir... Pecari mucho gusto !

Mucho stupido ! Tatunca... Nous ne sommes pas ici pour chasser !

Nous avons fait tout ce chemin pour trouver un endroit sans colon, sans chasseur et toi tu...

Pour manger... Un seul, allez, c'est très bon !

Ça, c'est un argument culinaire... mais pas très écolo...

Finalement, un petit rôti de pécari... ça ne peut pas nous faire de mal !

Alors que l'équipe redescend la rivière, un violent orage s'abat sur la forêt et gonfle le cours d'eau.

Attention ! Il y a un arbre coincé en travers ! On va se planter !

Tu es sûr que nous sommes passés par là, Tatunca ? Je ne reconnais pas l'endroit...

Si... Mais la rivière est plus haute ! Nous allons passer au bord...

Vas-y, Domi ! Tire plus fort !

Han ! Ça vient pas. On est bloqué par les racines...

Force... Je vais en profiter pour tourner une séquence !

C'est une idée ! L'équipe Cousteau échouée dans la jungle ! Super !

Attention... Trous très profonds, par là...

Oui... Compris... Alors tu es prêt ? C'est bon, je tire !

Et dire qu'il y a tant de gars qui rêvent de faire partie de l'équipe Cousteau !!!

Après ce passage mouvementé, l'équipe reprend sa descente du fleuve, suivie par des regards curieux...

Jean-Michel, pourquoi ton père vous envoie ici ?

Tu sais... mon père est comme le chef d'une grande tribu qui se bat pour la nature !

Il a réuni un groupe de marins, plongeurs, scientifiques qui, depuis des années, consacrent leur vie à observer, étudier les différentes formes de vie de la planète.

À bord de deux bateaux, la Calypso et l'Alcyone, nos équipes sillonnent les mers de la Mer Rouge à l'Antarctique. Nous filmons, photographions, pour rapporter des témoignages sur la beauté et la diversité de la vie animale, mais aussi sur les dangers qui la menacent.

Mais pourquoi vous vous intéressez à la forêt amazonienne ?

Parce qu'elle fait partie des grands ensembles naturels de la planète... Elle est menacée par des projets démentiels qui risquent de la détruire !

Mais les hommes comme toi n'aiment pas la forêt... Ils s'enferment dans des villes qui sentent mauvais sans arbres, sans fleurs !

Les humains sont de plus en plus nombreux et les zones fertiles diminuent... Les paysans sans terre quittent les campagnes pour trouver du travail dans les villes... Ils perdent vite le contact avec la nature... ne la respectent plus !

Pour construire des maisons, des usines, des routes, nous coupons des arbres, détournons les rivières, couvrons le sol de béton. Notre eau, notre air sont pollués.

Dans nos pays d'Occident, il ne reste plus de grandes forêts... Et les dernières dépérissent, empoisonnées, rongées par les pluies chargées de substances toxiques.

27

En quelques générations, l'espèce humaine a transformé d'immenses espaces fertiles en déserts. Si nous continuons à exploiter sans contrôle les ressources de la Terre, nous allons détruire notre planète.

Mais nous, les Indiens, nous n'abîmons pas la forêt... Nous sommes ses enfants... Elle est notre temple et chaque arbre est un Dieu.

Je sais, c'est pourquoi nous voulons vous aider !

Nous aider ! Les Blancs n'écoutent pas les Indiens, ils n'ont jamais rien apporté de bon ! Ecoute mon histoire !

Je suis métis, fils d'un Indien et d'une femme blanche, mais d'abord un fils de la forêt. Mon père m'a appris les secrets des plantes et des animaux...

"Les singes, les oiseaux étaient mes amis..."

" Adolescent, j'ai appris à chasser à l'arc, à la sarbacane, sans bruit, pour ne pas effrayer les êtres de la forêt."

" Dans nos chacras, le manioc, les bananiers poussaient entre les racines sous la protection des grands arbres sacrés ... "

" Je me souviens encore des rites d'initiation et de la cérémonie des fourmis rouges qui a fait de moi un brave de la tribu ... "

Alors, la forêt était grande et généreuse, nous étions heureux, mais ma tribu a connu le sort de tous les Indiens d'Amérique.

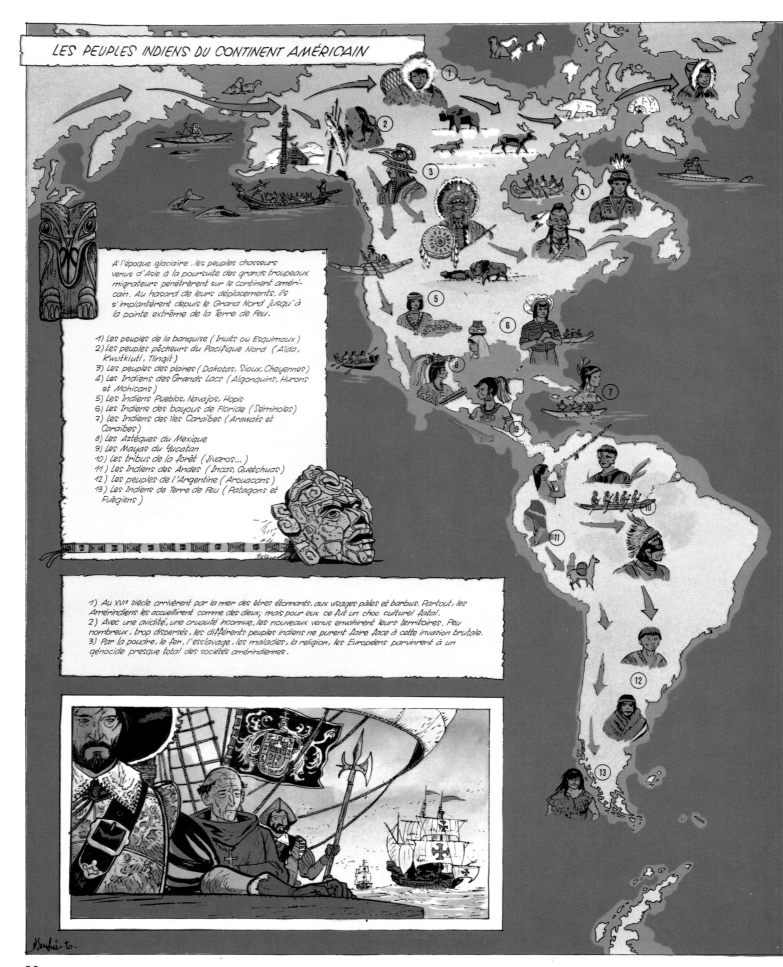

LES PEUPLES INDIENS DU CONTINENT AMÉRICAIN

A l'époque glaciaire, les peuples chasseurs venus d'Asie à la poursuite des grands troupeaux migrateurs pénétrèrent sur le continent américain. Au hasard de leurs déplacements, ils s'implantèrent depuis le Grand Nord jusqu'à la pointe extrême de la Terre de Feu.

1) Les peuples de la banquise (Inuits ou Esquimaux)
2) Les peuples pêcheurs du Pacifique Nord (Aïda, Kwakiutl, Tlingit)
3) Les peuples des plaines (Dakotas, Sioux, Cheyennes)
4) Les Indiens des Grands Lacs (Algonquins, Hurons et Mohicans)
5) Les Indiens Pueblos, Navajos, Hopis
6) Les Indiens des bayous de Floride (Séminoles)
7) Les Indiens des îles Caraïbes (Arawaks et Caraïbes)
8) Les Aztèques du Mexique
9) Les Mayas du Yucatan
10) Les tribus de la forêt (Jivaros...)
11) Les Indiens des Andes (Incas, Quetchuas)
12) Les peuples de l'Argentine (Arouacans)
13) Les Indiens de Terre de Feu (Patagons et Fuégiens)

1) Au XVIe siècle arrivèrent par la mer des êtres étonnants, aux visages pâles et barbus. Partout, les Amérindiens les accueillirent comme des dieux; mais pour eux ce fut un choc culturel fatal.
2) Avec une avidité, une cruauté inconnue, les nouveaux venus envahirent leurs territoires. Peu nombreux, trop dispersés, les différents peuples indiens ne purent faire face à cette invasion brutale.
3) Par la poudre, le fer, l'esclavage, les maladies, la religion, les Européens parvinrent à un génocide presque total des sociétés amérindiennes.

L'exemple le plus connu de la résistance est celui des Sioux et Cheyennes du Far-West. Ils vivaient dans les grandes plaines du Nord où passaient d'innombrables troupeaux de bisons qui leur fournissaient nourriture, vêtements, etc... Cavaliers émérites, redoutables guerriers, ils entamèrent une lutte farouche et désespérée contre les pionniers venus de l'Est.

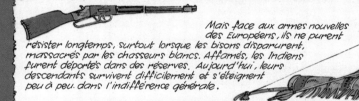

Mais face aux armes nouvelles des Européens, ils ne purent résister longtemps, surtout lorsque les bisons disparurent, massacrés par les chasseurs blancs. Affamés, les Indiens furent déportés dans des réserves. Aujourd'hui, leurs descendants survivent difficilement et s'éteignent peu à peu dans l'indifférence générale.

Les Indiens d'Amazonie ont failli subir le même sort... A' coups de fusil, mitraillette ou plus discrètement avec des cadeaux empoisonnés, couvertures contaminées, alcool, nourriture toxique, etc... Jusqu'à maintenant, seule la grande forêt les a protégés d'une invasion massive.

"Pour ma tribu, tout a commencé par quelques prospecteurs isolés... Ils ont trouvé de l'or dans notre rivière... D'autres sont venus... ils ont installé un grand camp, détourné et empoisonné l'eau du rio avec le mercure..."

"Puis arrivèrent les pétroliers, ils éventrèrent le sol de la forêt, agressèrent nos femmes... Quand les guerriers se sont révoltés, les soldats sont venus.

Mais le pire furent les maladies des Blancs qui tuèrent femmes et enfants... Ma tribu a été dispersée, anéantie, comme beaucoup d'autres !

Oui... Eh bien... Je ne me sens pas très fier d'être Blanc...

Mais tous les Blancs ne sont pas comme ça... Et la plupart ignorent le drame des peuples indiens.

32

33

Brusquement, le silence de la forêt paraît oppressant... Et l'équipe n'ose pas quitter les limites du camp, sentant confusément une présence inquiétante...

34

Plus tard, dans la nuit...

BING! BANG BONG!

Bon sang... Qu'est-ce qui se passe ?

Eh... où vas-tu, Domi ?

Chut ! Il y a quelqu'un dans le camp...

Mais où est le coupe-coupe ?

Je ne sais pas. Cherche...

Vas-y ! Je vais voir du côté du Rio.

Eh ! Attends ! Il vaut mieux appeler les autres...

Ça alors ! Regarde... derrière le zodiac !

Eh bien... Il n'y a pas que nous qui aimons le pécari rôti !

35

Vite... Va chercher les autres. Dis-leur de revenir avec la caméra !

Depuis le temps qu'on veut les filmer ! J'y vais.

C'est quoi ce raffut ? Une attaque ou quoi ?

Non... Juste des jacarés*, il y en a partout sur la plage.

* caïmans.

Eh ! Dépêchez-vous, ils partent !

On arrive, on arrive.

Regardez ! On voit leurs yeux !

Raté ! Et dire que le jour, on n'en voit pas un !

Je t'avais dit qu'ils ne sortent que la nuit... Ou alors il faut les appâter.

Silencieusement, comme ils sont apparus, les jacarés ont regagné leurs trous. Leurs cris rauques retentissent alors que l'orage éclate...

La pluie crépite et le concert nocturne de la jungle s'élève. Sous les tentes, dans la chaleur moite, impossible de dormir.

À l'aube, les premiers rayons du soleil réchauffent la forêt gorgée de pluie et libèrent des nuées de vapeur qui s'élèvent vers le ciel et retournent en nuages.

Une bande de perroquets écarlates traverse le ciel à coups d'ailes rapides. C'est le meilleur moment pour surprendre les animaux de la forêt.

J'ai pris les restes du pécari, on va tenter de faire des gros plans de piranhas.

Ok ! Soyez prudents ! Nous, on continue la mission "Nid de crocos" avec Tatunca.

Eh ! N'oubliez pas de brancher la VHF, canal 16 !

Tu es prêt, on n'a rien oublié ?

Pas de précipitation ! Ok, j'arrive !

Guidée par Tatunca, qui ouvre le passage à coups de machette, la petite équipe s'enfonce dans la jungle.

A'mesure qu'ils s'éloignent du camp, le terrain est de plus en plus difficile, et leur progression devient pénible...

Je suis chez moi, ici... Sois tranquille !

Comment peux-tu te retrouver dans un labyrinthe pareil ?

Dis donc, ça devient profond, par là !

On est presque arrivé, le plus dur est passé !

Ah ! Tant mieux... Je... **Vlouf !**

Voilà ! On y est... Ben !

Gloub... Gloub... Ra... La... Ca... **Aaah !**

J'aurais dû garder ma combinaison !

Ah ! Mais c'est l'heure du bain !

Oui... Je commençais à avoir un peu chaud !

39

Enfin, près du rivage, Tatunca découvre ce qu'ils sont venus chercher : un monticule de boue séchée.

Tu crois qu'il y a un nid de caïman, ici ?

Attends... J'écoute... Oui, c'est sûr !

Regardez ! Voilà une termitière !

Avec précaution, Tatunca dégage les feuilles et une dizaine d'œufs enrobés de boue séchée apparaissent.

Et ce sont les termites qui les ont recouverts ?

Par un instinct mystérieux, certains crocodiles pondent au pied des termitières afin d'assurer une température constante à leur œufs pendant la période d'incubation. En les recouvrant de boue séchée, les termites évitent les variations de température et assurent ainsi une juste répartition des sexes.

Présente-moi un œuf... Je fais un gros plan !

Je crois qu'ils sont prêts à éclore, prépare-toi

Oui... Je ne sais pas pourquoi ils font ça... mais ils les protègent...

En effet, par un coup de chance extraordinaire, le petit caïman vient au monde sous l'œil de la caméra.

Avec son museau, il brise la coquille, puis, après un moment d'hésitation, se dégage et file vers le rio.

Attrape-le ! Attrape-le ! Je n'ai pas terminé !

Eh, toi ! Ne sois pas si pressé ! Viens un peu par là !

Obéissant à son instinct, le minuscule saurien se retourne et pince le doigt de Tatunca.

Pour un nouveau-né, il est déjà bien armé, le gaillard ! Ne le lâche pas, je vais le mesurer.

Après l'avoir mesuré, ils le relâchent. Sans hésiter, le petit jacaré gagne l'eau et nage vers son destin.

41

Sur 100 petits crocodiles, à peine 5 atteindront l'âge adulte... Chez certaines espèces, la mère garde ses petits dans sa gueule, mais ils devront, pendant 5 à 6 années, déjouer tous les pièges de la nature avant de devenir des prédateurs redoutables pour les oiseaux, poissons et serpents du territoire qu'ils se seront choisi.

Il leur faudra entre 5 et 15 ans pour atteindre la maturité sexuelle et pouvoir se reproduire. Un cycle long, hélas, trop souvent interrompu par leur seul véritable prédateur : l'homme.

PANK

Tueur impitoyable, l'homme chasse les crocodiles uniquement pour les deux étroites bandes de peau de leurs flancs. Dans les marécages du Pantanal, où l'une de nos équipes a vu les braconniers à l'œuvre, c'est par milliers que les jacarés sont massacrés chaque année... C'est une espèce aujourd'hui en voie de disparition.

Les braconniers ne consomment même pas la chair des caïmans. Ils jettent les cadavres aux piranhas qui se régalent de la carcasse de leur seul prédateur et pullulent maintenant dans les marais. Une fois de plus, en jouant les apprentis sorciers, l'homme crée dans la nature un déséquilibre dont il n'a pas conscience.

Une dizaine de mètres plus loin, la découverte d'un abri de feuillage confirme les soupçons de Tatunca...

Voyez ! Un camp de chasse indien !

Il n'est pas terminé. Nous avons dû les déranger !

On pourrait peut-être essayer d'entrer en contact avec eux ?

Non ! Ils nous ont vus... S'ils avaient voulu nous contacter, ce serait déjà fait ... Partons !

Le silence angoissant de la forêt ... Il faut que j'enregistre ça !

TOC !

Silence de la forêt, 1, 2, 3, PAF !

Sans le savoir, par sa maladresse, Yves fait naître un sourire dans la jungle et rassure les Indiens ...

Ououaille ! D'accord ... Ce sera pour un autre jour !

Oh ! Oh ! Les gars ! Attendez ! Ne partez pas sans moi !

44

A plusieurs centaines de kilomètres, à bord de la Calypso toujours à l'ancre sur le rio Negro...

Commandant ! Ça fait plusieurs fois que je reçois des appels de Jean-Michel ! Ils ont l'air d'avoir des problèmes avec les Indiens !

Ah ! Exactement ce que je craignais... J'espère qu'il n'y a pas eu d'affrontements !

Non, non ! Ce n'est sûrement pas très grave ! La communication était mauvaise, je n'ai pas tout compris !

Les responsables de la "Funai"* nous ont bien prévenus ! En cas de problème, ils ne pourront pas intervenir...

*Fundaçao nacional do indio : L'office de protection des Indiens.

...Pour l'instant, il n'y a rien de grave mais notre guide nous a conseillé de partir ! J'organise notre retour au camp de base en deux équipes !

Calypso ! Calypso ! Equipe Padauari ? Est-ce que vous me recevez ? Parlez !

Surveillés par les Indiens qui suivent chacun de leurs gestes, les hommes de l'équipe rangent calmement le matériel et embarquent l'essentiel.

45

Au deuxième voyage, l'équipe s'entasse dans l'avion amphibie Papagallo.

Aïe ! Aïe ! Aïe ! Nous sommes trop chargés sur l'arrière !

Tout le monde est en place ? Serrez bien vos ceintures... Le décollage risque d'être mouvementé !

Hé !!! On fonce sur les arbres !!!

Je n'ai plus le choix ! Accrochez-vous !

C'est ce qu'on appelle "voler au ras des pâquerettes" !

Ouf ! Le plus dur est fait !

Sur la plage du Rio, un groupe d'Indiens, comme sorti de la préhistoire, regarde, fasciné, disparaître l'engin volant.

Jean-Michel... Regarde sur la plage ! Les Indiens... Tu vois, ils n'étaient pas loin...

Après une escale à Barcelo, Papagallo et Félix retrouvent la Calypso qui attendait à son mouillage de la "roche au faucon".

Ah ! Ça fait plaisir de vous voir ! Les autres sont là ?

Oui ! Ils sont arrivés hier, ils vous attendent.

Sur la passerelle, une silhouette familière apparaît...

Alors, les aventuriers ! Déjà de retour...

Hélas, on serait bien resté plus longtemps, mais...

Enfin... content de remettre le pied à bord !

Non, n'exagérons rien ! Nous nous sommes retrouvés sur le terrain d'une tribu inconnue ...

Vous avez été attaqués par les Indiens ?

... Et Tatunca a jugé plus prudent que nous quittions les lieux ... Mais j'aimerais y retourner !

Vous n'en aurez pas le temps. Nous avons rendez-vous avec les autres équipes à Belém... dans une semaine... Ce sera pour une prochaine expédition !

Pour fêter leur dernière soirée avec l'équipe brésilienne, l'équipage de la Calypso organise une grande fête à bord.

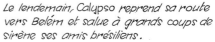

Le lendemain, Calypso reprend sa route vers Belém et salue à grands coups de sirène ses amis brésiliens.

Sincèrement, JYC, je serais bien resté un peu plus ! Il y a encore tel- lement de choses à voir !

Oh mais rassure-toi ! On n'en a pas encore fini avec l'Amazonie.. Il faut encore dresser le bilan scientifique de la mission, classer les documents, monter les films, les présenter...

Entre nous, je connais quelques plongeurs à bord qui ne seront pas mécontents de retrouver la mer...

Une dizaine de jours plus tard, une bande de joyeux dauphins salue le retour de la Calypso dans le bleu profond de l'océan Atlantique où se dispersent les dernières feuilles de la grande forêt Amazonienne...

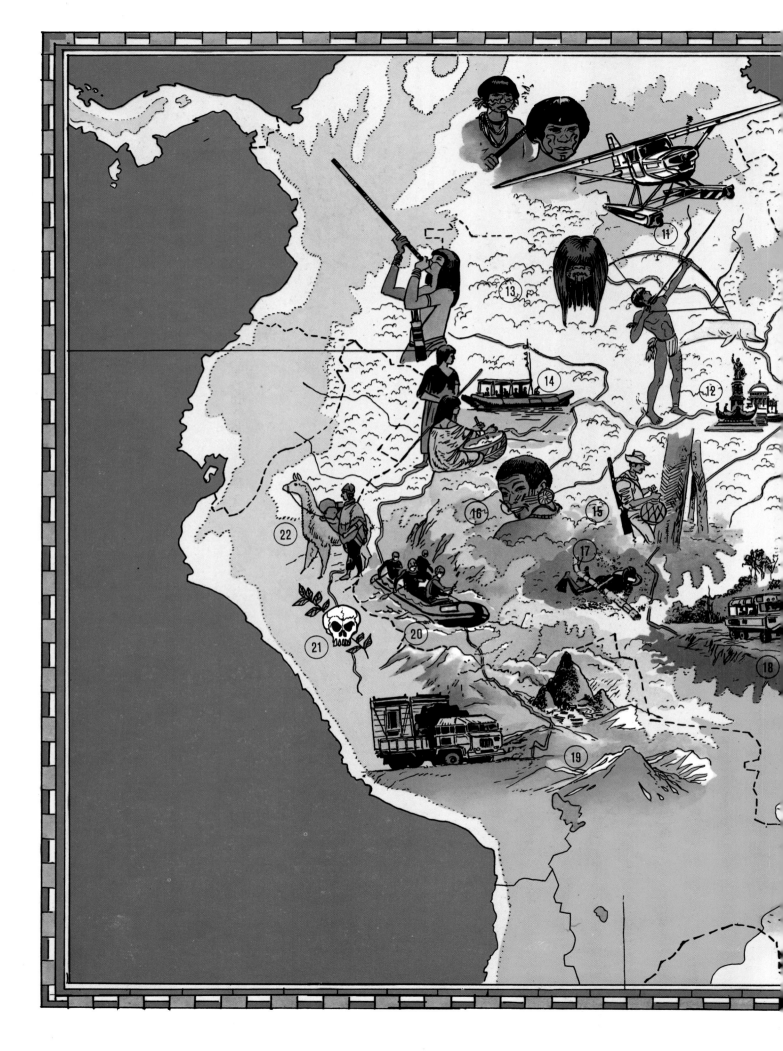